TABACARIA
THE TOBACCO SHOP

FERNANDO PESSOA
ÁLVARO DE CAMPOS

TABACARIA
THE TOBACCO SHOP

Desenhos * Drawings
Pedro Sousa Pereira

Tradução e Posfácio * Translation and Afterword
Richard Zenith

Os desenhos são dedicados à Carla que me deu dois microcosmos com muita "metafísica": Leonor e Carlota.
Para a Rita, sempre.

À Inês d'Almeida da Gama pela paciência e paleta de cores; ao Tiago Petinga por estar sempre presente.

A presente edição segue a grafia do novo Acordo Ortográfico da Língua Portuguesa.

Nota do editor:
Nem todas as estrofes obedecem à partição original do poema, visto tratar-se de um livro de desenhos que de certo modo interpreta "Tabacaria".

Publisher's note:
To accommodate the drawings that in a certain way interpret the poem, the stanza breaks in this edition occasionally differ from those in the original version.

Copyright ©2015 Língua Geral Livros Ltda.
Desenhos: ©Pedro Sousa Pereira
Posfácio: ©Richard Zenith

Coordenação editorial
Fatima Otero e Julia Otero

Editor
Hugo Gonçalves

Produção editorial
Rebeca Fuks

Projeto gráfico
Sofia Pires, em caracteres Fedra

Tratamento gráfico dos desenhos
Inês d'Almeida da Gama

Revisão
Silvina Sousa

Fechamento de arquivo
Leandro Collares

CIP-BRASIL. CATALOGAÇÃO NA PUBLICAÇÃO
SINDICATO NACIONAL DOS EDITORES DE LIVROS, RJ

P567p
    Pessoa, Fernando, 1888-1935
        Tabacaria / Fernando Pessoa ; ilustrações Pedro Sousa Pereira ; [tradução] Richard Zenith. - 1. ed. - Rio de Janeiro : Língua Geral, 2015.
        72 p. : il. ; 24 cm.

        Tradução de: Tabacaria
        ISBN 978-85-5516-000-4

        1. Poesia portuguesa. I. Pereira, Pedro Sousa. II. Zenith, Richard. III. Título.

15-19795   CDD: 869.1
         CDU: 821.134.3-1

Todos os direitos desta edição reservados à
Língua Geral Livros Ltda.
Rua Marquês de São Vicente, 336
Rio de Janeiro – RJ – 22451-040
Tel.: (21) 2279-6184
Fax: (21) 2279-6151
www.linguageral.com.br

Índice / Contents

Tabacaria	7
Posfácio, por Richard Zenith	45
The Tobacco Shop	51
Afterword, by Richard Zenith	65

Tabacaria

Não sou nada.
Nunca serei nada.
Não posso querer ser nada.
À parte isso, tenho em mim todos os sonhos
do mundo.

Janelas do meu quarto,
Do meu quarto de um dos milhões do mundo que ninguém sabe quem é
(E se soubessem quem é, o que saberiam?),
Dais para o mistério de uma rua cruzada constantemente por gente,
Para uma rua inacessível a todos os pensamentos,
Real, impossivelmente real, certa, desconhecidamente certa,
Com o mistério das coisas por baixo das pedras e dos seres,
Com a morte a pôr humidade nas paredes e cabelos brancos nos homens,
Com o Destino a conduzir a carroça de tudo pela estrada de nada.

Estou hoje vencido, como se soubesse a verdade.
Estou hoje lúcido, como se estivesse para morrer,
E não tivesse mais irmandade com as coisas
Senão uma despedida, tornando-se esta casa e este lado da rua
A fileira de carruagens de um comboio, e uma partida apitada
De dentro da minha cabeça,

E uma sacudidela dos meus nervos e um ranger de ossos na ida.

Estou hoje perplexo, como quem pensou e achou e
                              esqueceu.
Estou hoje dividido entre a lealdade que devo
À Tabacaria do outro lado da rua, como coisa real por fora,
E à sensação de que tudo é sonho, como coisa real por
                              dentro.

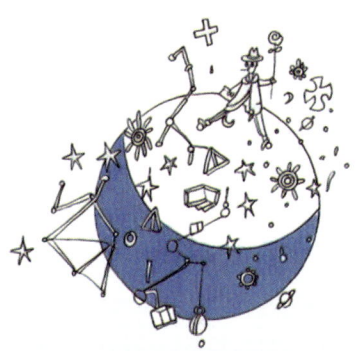

Falhei em tudo.
Como não fiz propósito nenhum, talvez tudo fosse nada.
A aprendizagem que me deram,
Desci dela pela janela das traseiras da casa.
Fui até ao campo com grandes propósitos.
Mas lá encontrei só ervas e árvores,
E quando havia gente era igual à outra.
Saio da janela, sento-me numa cadeira. Em que hei de pensar?

Que sei eu do que serei, eu que não sei o que sou?
Ser o que penso? Mas penso ser tanta coisa!
E há tantos que pensam ser a mesma coisa que não pode haver tantos!
Génio? Neste momento
Cem mil cérebros se concebem em sonho génios como eu,
E a história não marcará, quem sabe?, nem um,
Nem haverá senão estrume de tantas conquistas futuras.
Não, não creio em mim.
Em todos os manicómios há doidos malucos com tantas certezas!

que sé eu lo que son, en que mundo o que sou?

Eu, que não tenho nenhuma certeza, sou mais certo ou
menos certo?
Não, nem em mim...
Em quantas mansardas e não-mansardas do mundo
Não estão nesta hora génios-para-si-mesmos sonhando?
Quantas aspirações altas e nobres e lúcidas —
Sim, verdadeiramente altas e nobres e lúcidas —,
E quem sabe se realizáveis,
Nunca verão a luz do sol real nem acharão ouvidos de gente?
O mundo é para quem nasce para o conquistar
E não para quem sonha que pode conquistá-lo, ainda que
tenha razão.
Tenho sonhado mais que o que Napoleão fez.
Tenho apertado ao peito hipotético mais humanidades do
que Cristo.
Tenho feito filosofias em segredo que nenhum Kant
escreveu.
Mas sou, e talvez serei sempre, o da mansarda,
Ainda que não more nela;
Serei sempre *o que não nasceu para isso*;
Serei sempre só *o que tinha qualidades*;
Serei sempre o que esperou que lhe abrissem
a porta ao pé de uma parede sem porta,

E cantou a cantiga do Infinito numa capoeira,
E ouviu a voz de Deus num poço tapado.
Crer em mim? Não, nem em nada.
Derrame-me a Natureza sobre a cabeça ardente
O seu sol, a sua chuva, o vento que me acha o cabelo,
E o resto que venha se vier, ou tiver que vir, ou não venha.
Escravos cardíacos das estrelas,
Conquistámos todo o mundo antes de nos levantar da cama;
Mas acordámos e ele é opaco,
Levantámo-nos e ele é alheio,
Saímos de casa e ele é a terra inteira,
Mais o sistema solar e a Via Láctea e o Indefinido.

(Come chocolates, pequena;
Come chocolates!
Olha que não há mais metafísica no mundo senão chocolates.
Olha que as religiões todas não ensinam mais que a
confeitaria.
Come, pequena suja, come!
Pudesse eu comer chocolates com a mesma verdade com
que comes!
Mas eu penso e, ao tirar o papel de prata, que é de folha de
estanho,
Deito tudo para o chão, como tenho deitado a vida.)

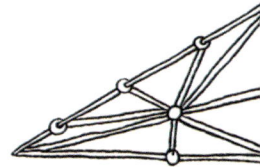

Mas ao menos fica da amargura do que nunca serei
A caligrafia rápida destes versos,
Pórtico partido para o Impossível.
Mas ao menos consagro a mim mesmo um desprezo sem
lágrimas,
Nobre ao menos no gesto largo com que atiro
A roupa suja que sou, sem rol, pra o decurso das coisas,
E fico em casa sem camisa.

(Tu, que consolas, que não existes e por isso consolas,
Ou deusa grega, concebida como estátua que fosse viva,
Ou patrícia romana, impossivelmente nobre e nefasta,
Ou princesa de trovadores, gentilíssima e colorida,
Ou marquesa do século dezoito, decotada e longínqua,
Ou cocote célebre do tempo dos nossos pais,

Ou não sei quê moderno — não concebo
bem o quê —,
Tudo isso, seja o que for, que sejas, se pode
inspirar que inspire!
Meu coração é um balde despejado.
Como os que invocam espíritos invocam
espíritos invoco
A mim mesmo e não encontro nada.

Chego à janela e vejo a rua com uma nitidez absoluta.
Vejo as lojas, vejo os passeios, vejo os carros que passam,
Vejo os entes vivos vestidos que se cruzam,
Vejo os cães que também existem,
E tudo isto me pesa como uma condenação ao degredo,
E tudo isto é estrangeiro, como tudo.)

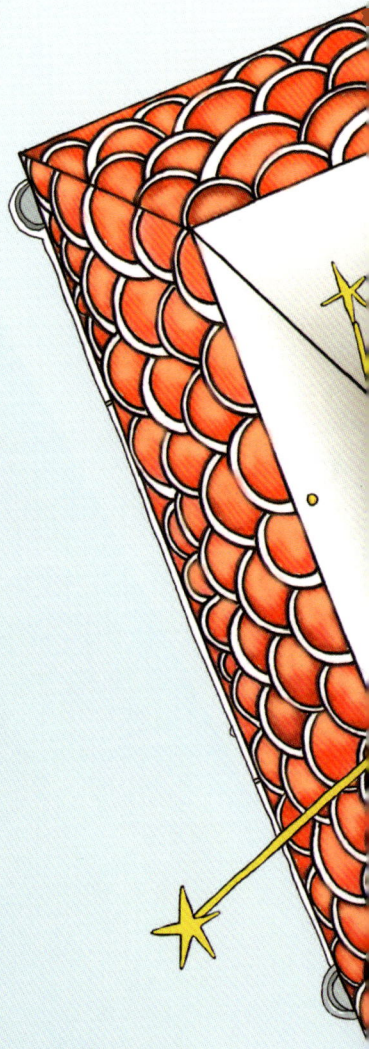

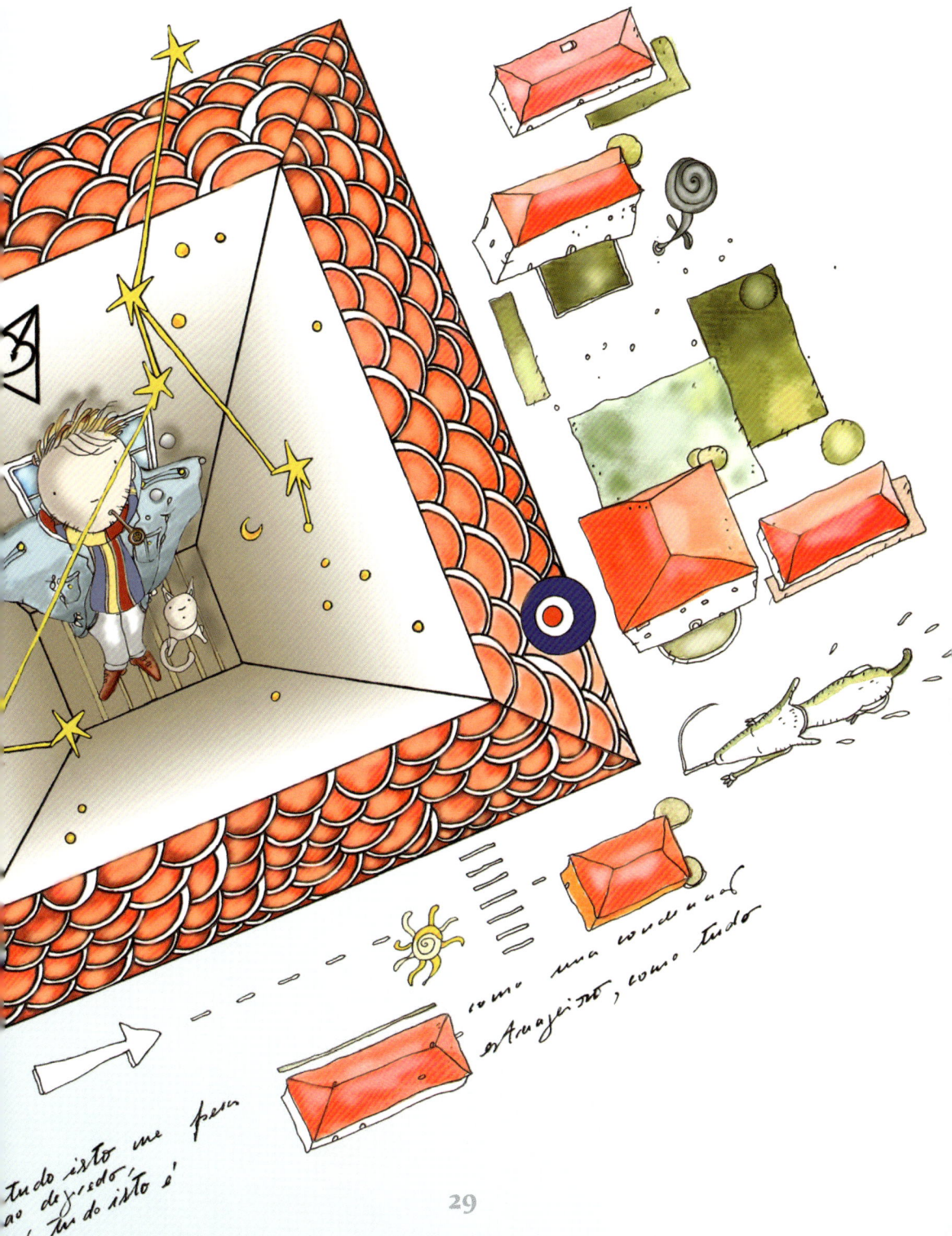

Vivi, estudei, amei, e até cri,
E hoje não há mendigo que eu não inveje só por não ser eu.
Olho a cada um os andrajos e as chagas e a mentira,
E penso: talvez nunca vivesses nem estudasses nem amasses nem cresses
(Porque é possível fazer a realidade de tudo isso sem fazer nada disso);
Talvez tenhas existido apenas, como um lagarto a quem cortam o rabo
E que é rabo para aquém do lagarto remexidamente.

Conheceram-me logo por quem não era e não desmenti,
e perdi-me.
Quando quis tirar a máscara,
Estava pegada à cara.
Quando a tirei e me vi ao espelho,
Já tinha envelhecido.
Estava bêbado, já não sabia vestir o dominó que não tinha
tirado.

Deitei fora a máscara e dormi no vestiário
Como um cão tolerado pela gerência
Por ser inofensivo
E vou escrever esta história para provar que sou sublime.

Essência musical dos meus versos inúteis,
Quem me dera encontrar-te como coisa que eu fizesse,
E não ficasse sempre defronte da Tabacaria de defronte,
Calcando aos pés a consciência de estar existindo,
Como um tapete em que um bêbado tropeça
Ou um capacho que os ciganos roubaram e não valia nada.

Mas o Dono da Tabacaria chegou à porta e ficou à porta.
Olho-o com desconforto da cabeça mal voltada
E com o desconforto da alma mal-entendendo.
Ele morrerá e eu morrerei.
Ele deixará a tabuleta, eu deixarei versos.
A certa altura morrerá a tabuleta também, e os versos
também.
Depois de certa altura morrerá a rua onde esteve a tabuleta,
E a língua em que foram escritos os versos.
Morrerá depois o planeta girante em que tudo isto se deu.
Em outros satélites de outros sistemas qualquer coisa como
gente
Continuará fazendo coisas como versos e vivendo por baixo
de coisas como tabuletas,
Sempre uma coisa defronte da outra,
Sempre uma coisa tão inútil como a outra,
Sempre o impossível tão estúpido como o real,
Sempre o mistério do fundo tão certo como o sono de mistério
da superfície,
Sempre isto ou sempre outra coisa ou nem uma coisa nem
outra.

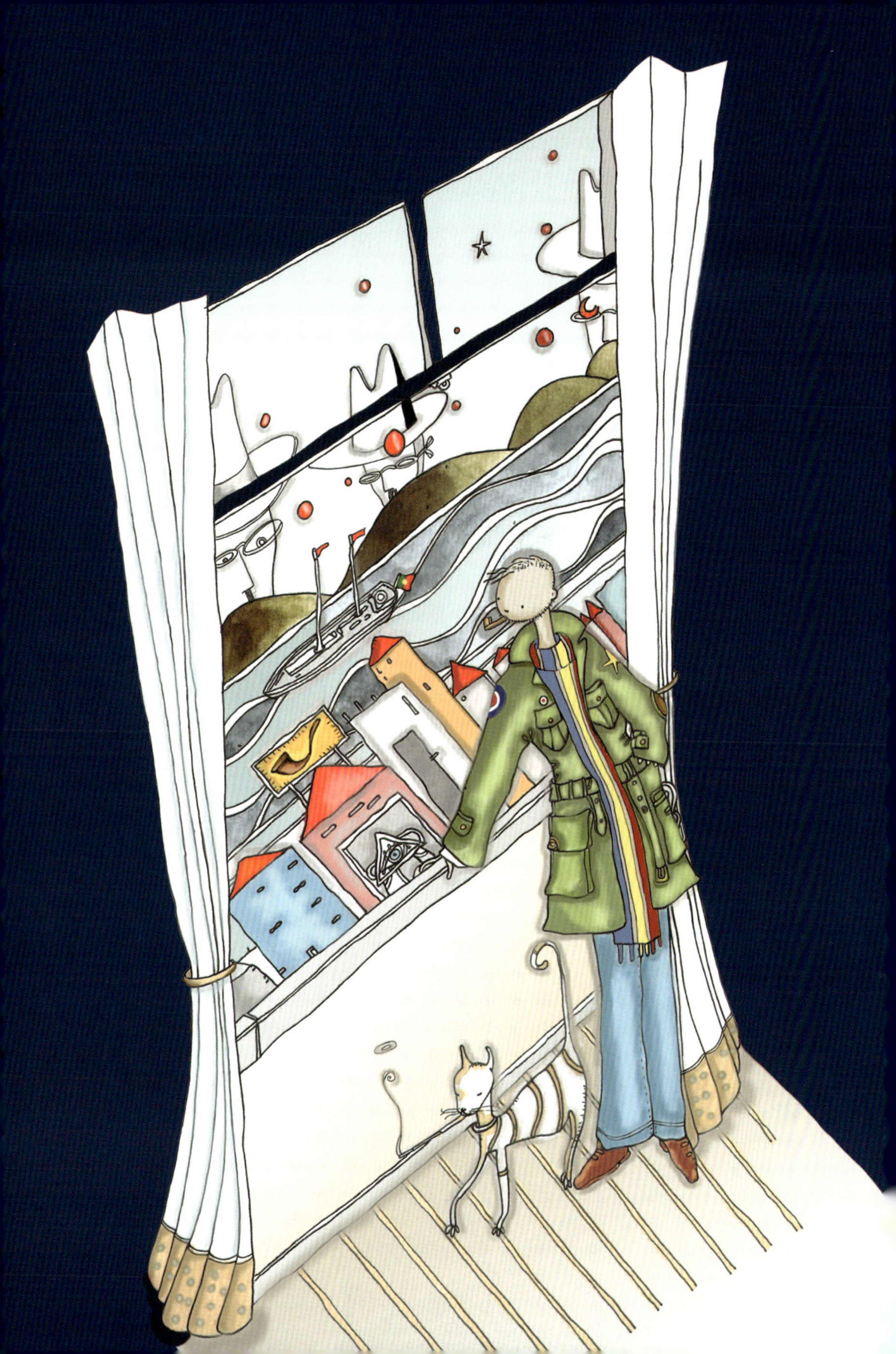

Mas um homem entrou na Tabacaria (para comprar tabaco?),
E a realidade plausível cai de repente em cima de mim.
Semiergo-me enérgico, convencido, humano,
E vou tencionar escrever estes versos em que digo o contrário.

Acendo um cigarro ao pensar em escrevê-los
E saboreio no cigarro a libertação de todos os pensamentos.
Sigo o fumo como a uma rota própria,
E gozo, num momento sensitivo e competente,
A libertação de todas as especulações
E a consciência de que a metafísica é uma consequência de
                                    estar maldisposto.

Depois deito-me para trás na cadeira
E continuo fumando.
Enquanto o Destino mo conceder, continuarei fumando.

(Se eu casasse com a filha da minha lavadeira
Talvez fosse feliz.)
Visto isto, levanto-me da cadeira. Vou à janela.

(Se eu casasse com a filha da
   minha lavadeira
  talvez fosse feliz)

O homem saiu da Tabacaria (metendo troco na algibeira das calças?).
Ah, conheço-o: é o Esteves sem metafísica.
(O Dono da Tabacaria chegou à porta.)
Como por um instinto divino o Esteves voltou-se e viu-me.

Acenou-me adeus, gritei-lhe *Adeus ó Esteves!*, e o universo
Reconstruiu-se-me sem ideal nem esperança, e o Dono da
Tabacaria sorriu.

POSFÁCIO
Richard Zenith

A verdadeira história da humanidade

Talvez as classificações de "maior" ou "melhor" não façam sentido numa matéria tão subjetiva como a da poesia, mas "Tabacaria" é certamente um dos mais amados poemas de Pessoa e da língua portuguesa, e por vários tipos de público. Exerce o seu encanto mesmo sobre pessoas que não costumam frequentar a poesia e é uma porta de entrada para muitos amantes da literatura que acabam por se perder, fascinados, na vasta casa da escrita pessoana, com os seus inúmeros quartos, corredores, escadas e alçapões. As razões desse encanto não são difíceis de identificar. Para começar, o próprio estilo do poema é encantatório, desde os primeiros versos solenemente pontuados por nada, nada, nada, em jeito de mantra desesperado. Pode parecer estranho, à primeira vista, que um poema tão cheio de desespero – que o percorre do início até ao fim – consiga conquistar tanta simpatia entre os leitores. No entanto, não é bem "simpatia" que nós, os leitores, sentimos, pois lemos não a angústia e a desolação de Fernando Pessoa ou Álvaro de Campos, mas sim, a nossa própria angústia e desolação. Em nenhum outro poema Pessoa conseguiu envolver-nos com igual mestria.

A incurável frustração de Álvaro de Campos é – ou passa a ser, à medida que se vai acompanhando os versos – tal e qual como a do leitor, qualquer leitor, só que dita em palavras mais eloquentes. Falando por nós, o poema ensina-nos quem somos. E somos, todos, desgraçados e falhados, por mais realização profissional e sucesso no amor que possamos ter; e também somos, todos nós, grandiosos, por mais desastrosa que seja a vida que vamos levando no mundo visível. A origem desta "bipolaridade" não do foro psicológico, mas sim existencial, prende-se com a própria natureza humana, que parece não caber dentro da espécie por ela definida. A obra poética do suposto engenheiro naval que viajou pelo mundo nasce, em boa parte, da sua recusa em se conformar com o fato de ser sempre prisioneiro de quem é. Esclarece o problema em versos de "A passagem das horas":

> *Trago, dentro do meu coração,*
> *Como num cofre que se não pode fechar de cheio,*
> *Todos os lugares onde estive,*
> *Todos os portos a que cheguei,*
> *Todas as paisagens que vi através de janelas ou vigias,*
> *Ou de tombadilhos, sonhando,*
> *E tudo isso, que é tanto, é pouco para o que eu quero.*

Nada basta nem bastará nunca. Todo o ser humano, desde que pense e sinta, quer sempre mais. Nisto reside a sua tragédia. Nisto consiste a sua grandeza.

O narrador de "Tabacaria" não é passivamente desesperado, é um desassossegado. Desloca-se ansiosamente entre a janela onde observa a realidade "por fora", representada pela Tabacaria, e a cadeira do seu quarto onde se abisma na realidade "por dentro", que são os seus sonhos e pensamentos. Encena-se, deste modo, uma outra versão da mesma dicotomia referida no parágrafo anterior, agora projetada num plano maior, onde o mundo como é se opõe ao mundo como poderia ou deveria ser, segundo imagina Álvaro de Campos. A divisão entre o real e o ideal, ou entre o mundo alheio e o mundo interior, provém, é claro, do fato de termos consciência. Mesmo quando agimos energicamente na realidade que nos rodeia, no nosso íntimo somos espectadores, intrigados ou fatigados, da nossa própria atuação.

"Vivi, estudei, amei, e até cri," admite Álvaro de Campos num verso que se destaca de muitos outros em que vai refletindo, com exacerbada autoconsciência, sobre a aparente inutilidade de tudo o que fez, uma vez que tudo no mundo por nós habitado morrerá. Mas continua a crer e a fazer no próprio ato de elaborar o seu notável poema. Continua a esperar, contra toda a esperança. E arrasta-nos no seu drama, ou antidrama, tão desprovido de significado.

A sua solitária peregrinação através de cenários de desilusão desenrola-se com uma eficácia cinematográfica. Cativa-nos com imagens insólitas, coisas em movimento, figuras históricas, pormenores da paisagem urbana e apartes inesperados: a pequena que come chocolates, a mítica consoladora de todas as eras, o lagarto de rabo cortado, a filha da lavadeira teoricamente casável... Se o narrador se refere, em dada altura, à "essência musical" dos seus "versos inúteis", é porque o seu poema-filme é musicado, com um ritmo insinuante e fórmulas sintáticas que se repetem como refrões. É a força, mas também a forma, da expressão de Campos que nos agarram e levam na sua marcha de imagens, reflexões e angústias tão bem concatenadas e cadenciadas.

"Marcha da derrota" foi o primeiro e muito significativo título do poema, composto em janeiro de 1928. O autor – sem qualquer urgência em publicar de imediato as obras-primas que ia escrevendo – aguardou mais de cinco anos até enviar o poema para a revista *Presença*, onde saiu em julho de 1933, e não sabemos quando, durante este longo intervalo, repensou o título que datilografara e escreveu, ao lado e a lápis, "Tabacaria". Seja como for, a data da sua composição inaugurou uma nova etapa na obra de Pessoa, que podemos chamar de "derrotista", evidente em várias das suas vertentes e vozes.

No final de 1928, "Canções da derrota" era um título contemplado para a terceira seção de *Mensagem*, afinal denominada de "O encoberto". Pessoa aproveitou o título preterido para um conjunto de poemas extensos (que incluem "À memória do presidente-rei Sidónio Pais" e "Elegia na sombra") também tematicamente centrados em Portugal. Curiosamente, numa altura em que o nacionalismo enaltecia os grandes feitos da história de Portugal e o império ultramarino que ainda lhe restava, Pessoa celebrava os seus reveses. Celebrava? Sim, porque a derrota no plano material era a justificação e até uma condição quase necessária para o Quinto Império – império espiritual e cultural, não territorial, sonhado e promulgado por Pessoa – poder vingar.

No plano individual, o derrotismo desempenhava um papel análogo. Atitude presente em Álvaro de Campos desde cedo, ganhou maior peso na sua poesia a partir de "Tabacaria" e ficou igualmente patente no *Livro do desassossego*, retomado por Pessoa em 1929, após uma pausa de oito anos. A insignificância de Bernardo Soares enquanto ajudante de guarda-livros como que o catapulta para esferas da imaginação e do sonho que o tornam superior a qualquer rei da terra. Por isso afirma, "com uma sinceridade que é feroz", o seu desejo "de não passar nunca a guarda-livros". Por isso, também, este mero ajudante termina um dos trechos do seu Livro com a seguinte frase: "Levo comigo a consciência da derrota como um pendão de vitória." Alquimista espiritual e linguístico, Fernando Pessoa possuía o dom de converter a derrota em sucesso, o fingimento em realidade, o nada em tudo.

Num dos passos mais famosos de "Tabacaria", Álvaro de Campos troça de si próprio por ter ousado sonhar-se um génio. Podemos suspeitar que Pessoa estava a rir-se de nós, visto que este seu poema – mesmo se não tivesse escrito mais nada – lhe asseguraria o seu lugar entre os génios da literatura do século XX. A maior genialidade de Pessoa residia, todavia, no fato de não precisar de ser um génio. Ou melhor, bastava-lhe ser um "génio-para-si-mesmo", sem se interessar muito pela classificação que o mundo lhe dava e podendo morrer, tranquilamente, sem ter publicado a maior parte das suas obras.

Em dezembro de 1933, Pessoa-Campos escreveu um poema intitulado "Pecado original", que parece ser uma explicação de "Tabacaria", publicado cinco meses antes. Começa assim:

Ah, quem escreverá a história do que poderia ter sido?
Será essa, se alguém a escrever,
A verdadeira história da humanidade.

O que há é só o mundo verdadeiro, não é nós, só o mundo;
O que não há somos nós, e a verdade está aí.

Sou quem falhei ser.
Somos todos quem nos supusemos.
A nossa realidade é o que não conseguimos nunca.

A consciência da deficiência ou da derrota (que equivale ao "pecado original") implica uma igual consciência da completude ou da vitória desejadas e imaginadas como possíveis. E essa consciência, esse desejo e essa imaginação são a medida do homem, a sua grandeza potencial, que já é grandeza. De acordo com esta conceção, a realização é secundária ou mesmo supérflua.

Pessoa nunca concordava totalmente consigo próprio, um fato (entre outros) que explica a sua dispersão e diversificação em personalidades fictícias. Estas máscaras, por vezes, também surgem mascaradas. No final de "Tabacaria", é como se Alberto Caeiro – o único heterónimo sossegado, para quem havia "metafísica bastante em não pensar em nada" – fizesse uma breve aparição na pessoa do Esteves "sem metafísica", que sai da Tabacaria, repara em Campos à janela e lhe acena um adeus que o arranca do seu cismar e faz com que o universo volte a ser apenas o universo, "sem ideal nem esperança". Apenas por um instante, porém. Campos não desce até à rua para beber uma cerveja e comer tremoços com o Esteves. Ou talvez se consinta esse pequeno recreio, descansando um pouco, antes de voltar à sua mansarda que não é uma mansarda, para continuar a ser o génio que não é (mas é).

Há quem considere Fernando Pessoa um poeta "negativo", que não amava a vida diretamente, plenamente. Não será bem assim. Ele amava realmente o milagre chamado vida, mas amava ainda mais, e sobretudo, a humanidade. Por isso abominava um certo tipo de humanitarismo, excessivamente pronto para encarar o homem como um ser fraco e precisado de ajuda. Pessoa prezava, pelo contrário, a capacidade que temos (e que outras formas de vida não têm) de ser mais do que somos – pelo menos no sonho e na ideia.

Ou será que a nossa consciência e imaginação e todos os seus derivados, como a arte e a poesia, a filosofia e a religião, não passam da forma como a nossa espécie se defende e propaga, com mais inteligência mas o mesmo impulso instintivo que comanda um lagarto? Também é possível, como Pessoa sabia demasiado bem. Por isso inventou, para seu e nosso consolo, o descomplicado Alberto Caeiro. O consolo, tal como o consolador, é fictício. Bem real é a misteriosa capacidade de uma mente humana – a de Pessoa, no caso – para engendrar todo este enredo.

THE TOBACCO SHOP

I'm nothing.
I'll always be nothing.
I can't want to be something.
But I have in me all the dreams of the world.

Windows of my room,
The room of one of the world's millions nobody knows
(And if they knew me, what would they know?),
You open onto the mystery of a street continually crossed
               by people,
A street inaccessible to any and every thought,
Real, impossibly real, certain, unknowingly certain,
With the mystery of things beneath the stones and beings,
With death making the walls damp and the hair of men
                   white,
With Destiny driving the wagon of everything down the
               road of nothing.

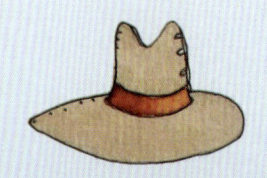

Today I'm defeated, as if I'd learned the truth.
Today I'm lucid, as if I were about to die
And had no greater kinship with things
Than to say farewell, this building and this side of the
                                    street becoming
A row of train cars, with the whistle for departure
Blowing in my head
And my nerves jolting and bones creaking as we pull out.

Today I'm bewildered, like a man who wondered and
                                    discovered and forgot.
Today I'm torn between the loyalty I owe
To the outward reality of the Tobacco Shop across the street
And to the inward reality of my feeling that everything's a
                                    dream.

I failed in everything.
Since I had no ambition, perhaps I failed in nothing.
Through the window at the back of the house
I climbed down the ladder of the education I was given.
I went to the country with big plans.
But all I found was grass and trees,
And when there were people they were just like others.
I step back from the window and sit in a chair. What should I think about?

How should I know what I'll be, I who don't know what I am?
Be what I think? But I think of being so many things!
And there are so many who think of being the same thing that we can't all be it!
Genius? At this moment
A hundred thousand brains are dreaming they're geniuses like me,
And it may be that history won't remember even one,
All of their imagined conquests amounting to so much dung.
No, I don't believe in me.
Insane asylums are full of lunatics with certainties!

Am I, who have no certainties, more right or less right?
No, not even in me...
In how many garrets and non-garrets of the world
Are self-convinced geniuses at this moment dreaming?
How many lofty and noble and lucid aspirations
— Yes, truly lofty and noble and lucid
And perhaps even attainable —
Will never see the real light of day nor find a sympathetic ear?
The world is for those born to conquer it,
Not for those who dream they can conquer it, even if they're
        right.

I've done more in dreams than Napoleon.
I've held more humanities against my hypothetical breast
        than Christ.
I've secretly invented philosophies such as Kant never
        wrote.
But I am, and perhaps will always be, the man in the garret,
Even though I don't live in one.
I'll always be *the one who wasn't born for that*;
I'll always be merely *the one who had qualities*;
I'll always be the one who waited for a door to open in a
        wall without doors

And sang the song of the Infinite in a chicken coop
And heard the voice of God in a covered well.
Believe in me? No, not in anything.
Let Nature pour over my seething head
Its sun, its rain, and the wind that finds my hair,
And let the rest come if it will or must, or let it not come.
Cardiac slaves of the stars,
We conquered the whole world before getting out of bed,
But we woke up and it's hazy,
We got up and it's alien,
We went outside and it's the entire earth
Plus the solar system and the Milky Way and the Indefinite.

(Eat your chocolates, little girl,
Eat your chocolates!
Believe me, there's no metaphysics on earth like chocolates,
And all religions put together teach no more than the candy
                                                         shop.

Eat, dirty little girl, eat!
If only I could eat chocolates with the same truth as you!
But I think and, removing the silver paper that's tin foil,
I throw it all on the ground, as I've thrown out life.)

But at least, from my bitterness over what I'll never be,
There remains the hasty writing of these verses,
A broken gateway to the Impossible.
But at least I confer on myself a contempt without tears,
Noble at least in the sweeping gesture by which I fling
The dirty laundry that's me — with no list — into the stream
                                                            of things,
And I stay at home, shirtless.

(O my consoler, who doesn't exist and therefore consoles,
Be you a Greek goddess, conceived as a living statue,
Or a patrician woman of Rome, impossibly noble and dire,
Or a princess of the troubadours, all charm and grace,
Or an 18th-century marchioness, décolleté and aloof,
Or a famous courtesan from our parents' generation,
Or something modern, I can't quite imagine what —
Whatever all of this is, whatever you are, if you can inspire,
        then inspire me!
My heart is a poured out bucket.
In the same way invokers of spirits invoke spirits I invoke
My own self and find nothing.

I go to the window and see the street with absolute clarity.
I see the shops, I see the sidewalks, I see the passing cars,
I see the clothed living beings who pass each other.
I see the dogs that also exist,
And all of this weighs on me like a sentence of exile,
And all of this is foreign, like everything else.)

I've lived, studied, loved, and even believed,
And today there's not a beggar I don't envy just because he isn't me.
I look at the tatters and sores and falsehood of each one,
And I think: perhaps you've never lived or studied or loved or believed
(For it's possible to do the motions of all this without doing any of it);
Perhaps you've merely existed, as when a lizard has its tail cut off
And the tail keeps on twitching, without the lizard.

I made of myself what I was no good at making,
And what I could have made of myself I didn't.
I put on the wrong costume
And was immediately taken for someone I wasn't, and
                    I said nothing and was lost.
When I went to take off the mask,
It was stuck to my face.
When I got it off and saw myself in the mirror,
I had already grown old.
I was drunk and no longer knew how to wear the costume
                    that I hadn't taken off.

I threw out the mask and slept in the closet
Like a dog tolerated by the management
Because it's harmless,
And I'll write down this story to prove I'm sublime.

Musical essence of my useless verses,
If only I could look at you as something I had made,
Without always facing the Tobacco Shop across the street

Trampling on my consciousness of existing,
Like a rug a drunkard stumbles on
Or a doormat stolen by gypsies and it's not worth a thing.

But the Tobacco Shop Owner has come to the door and
                                            stands at the door.
I look at him with the discomfort of a half-twisted neck
Compounded by the discomfort of a half-grasping soul.
He will die and I will die.
He'll leave his signboard, I'll leave my poems.
His sign will also eventually die, and so will my poems.
Eventually the street where the sign was will die,
And so will the language in which my poems were written.
Then the whirling planet where all of this happened will
                                                                         die.
On other planets of other solar systems something like people
Will continue to make things like poems and to live under
                                              things like signs,

Always one thing facing the other,
Always one thing as useless as the other,
Always the impossible as stupid as reality,
Always the inner mystery as true as the mystery sleeping
on the surface.
Always this thing or always that, or neither one thing nor
the other.

But a man has entered the Tobacco Shop (to buy tobacco?),
And plausible reality suddenly hits me.
I half rise from my chair – energetic, convinced, human –
And will try to write these verses in which I say the opposite.

I light up a cigarette as I think about writing them,
And in that cigarette I savor a freedom from all thought.
My eyes follow the smoke as if it were my own trail
And I enjoy, for a sensitive and consummate moment,
A liberation from all speculation
And an awareness that metaphysics is a consequence of
not feeling very well.

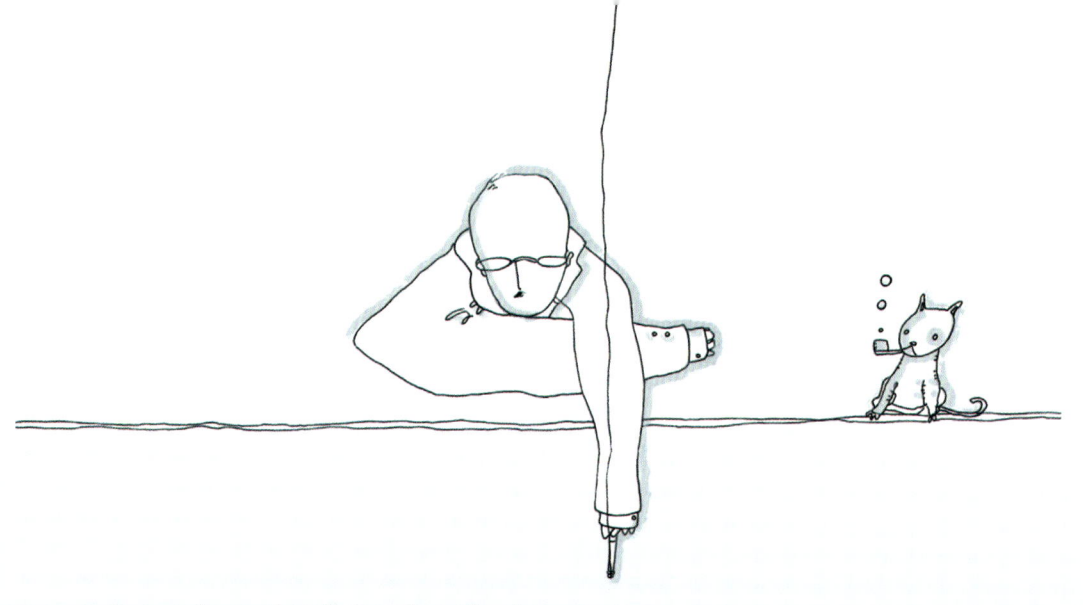

Then I lean back in the chair
And keep smoking.
As long as Destiny permits, I'll keep smoking.

(If I married my washwoman's daughter
Perhaps I would be happy.)
Having made this reflection, I get up from the chair. I go
to the window.

The man has come out of the Tobacco Shop (putting change into his pocket?).
Ah, I know him: it's unmetaphysical Esteves.
(The Tobacco Shop Owner has come to the door.)
As if by divine instinct, Esteves turns around and sees me.
He waves hello, I shout back "Hello, Esteves!", and the universe
Falls back into place without ideals or hopes, and the Owner of the Tobacco Shop smiles.

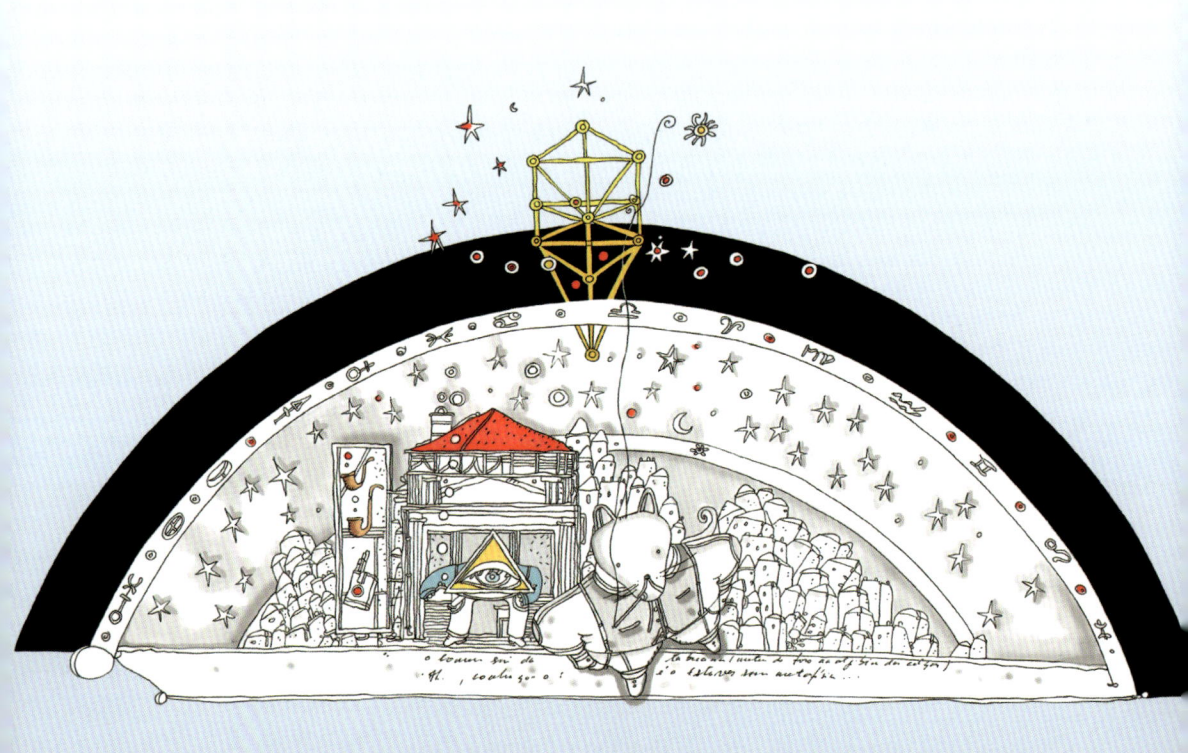

Afterword Richard Zenith
The True History of Humanity

    Perhaps it makes no sense to use the words "greatest" and "best" when talking about something as subjective as poetry, but "The Tobacco Shop" is certainly one of the most admired poems of Fernando Pessoa and of the Portuguese language generally. It appeals even to people not in the habit of frequenting poetry, and it is a kind of enchanted, enchanting doorway for more than a few devotees of literature who end up losing themselves in the seemingly endless house of Pessoa's writing, with its countless rooms, hallways, staircases and trapdoors. The reasons for that appeal and that enchantment are not hard to pinpoint. The poem's very phraseology is incantatory, beginning with the opening verses solemnly punctuated by *nothing, nothing, nothing*, as by a mantra of despair.* It may at first seem strange that a poem so despairing, throughout nearly all of its stanzas, can arouse so much sympathetic feeling among readers. But it isn't actually sympathy that we, those readers, feel, for it isn't Álvaro de Campos's or Fernando Pessoa's anguish and desolation that we read; it is our own. In no other poem did Pessoa manage to implicate us so completely.

    Álvaro de Campos's incurable frustration is – or it becomes, as the verses of his poem unfold – the same frustration felt by the reader, any reader, but stated in more eloquent language. Speaking for us, the poem teaches us who we are. And all of us are failures, however successful we may be professionally or in matters of love. And we are also, all of us, truly great, however disastrous our life in the visible world may be. This existential "bipolarity" has its origin in human nature itself – a nature that does not seem to fit in the species it defines. The poetic oeuvre of Campos, a supposed naval engineer who has sailed all over the world, derives in large part from his refusal to accept the fact of being forever trapped in who he is. He clarifies the problem in these verses from "Time's Passage":

---

* The poem's first three verses end with the word *nada*, "nothing", which the translation cannot perfectly replicate, since English does not allow the double negative. "There is nothing I can want to be" gets the meaning of the original but without keeping "nothing" as an end word. One translator rendered the third verse as "I can only want to be nothing", an ingenious solution, though it alters the literal meaning somewhat.

> *I carry inside my heart,*
> *As in a chest too full to shut,*
> *All the places where I've been,*
> *All the ports at which I've called,*
> *All the sights I've seen through windows and portholes*
> *And from quarterdecks, dreaming,*
> *And all of this, which is so much, is nothing next to what I want.*

Nothing suffices or will ever suffice. Every human creature that thinks and feels always wants more. This is the basis of the human tragedy, and it is the basis of human greatness.

The narrator of "The Tobacco Shop" is not a passive despairer. He restlessly moves between the window where he observes "outward reality", represented by the Tobacco Shop, and the chair of his room where he plunges into the "inward reality" of his thoughts and dreams. Thus he acts out another version of the same dichotomy referred to in the last paragraph but now projected onto a larger plane, with the world as it is being pitted against the world as it could or should be, according to his way of thinking. The division between the real and the ideal, or between the outer world and the inner world, results, of course, from our having consciousness. Even when we energetically move and act in the reality surrounding us, inwardly we are spectators – now intrigued, now fatigued – of our own performance.

"I've lived, studied, loved, and even believed," admits Álvaro de Campos in a verse that stands out from many others in which he reflects, with exacerbated self-awareness, on the apparent uselessness of everything he has done, given that everything in the world we inhabit will die. But he continues to make and to do in the very act of writing his remarkable poem. He continues to hope, against all hope. And he sweeps us along in his drama, or antidrama, full of no meaning at all.

His solitary peregrination through scenes of disillusion unrolls with cinematographic efficiency, seducing us with unusual images, things in motion, historical figures, details of the urban landscape, and unexpected asides: the little girl who eats chocolates, the ideal consoling lady of all ages, the lizard with its tail cut off, the theoretically marriageable daughter of his washwoman... If the narrator refers at a certain point to the "musical essence" of his "useless verses", it is because his film-like poem is set to music, with a rhythm that pulls us in and syntactical formulas that are repeated like refrains. It is the poem's force of expression, but also its form, that carry us forward in the well cadenced and concatenated march of images, reflections and anguished feelings.

"March of Defeat" was the first, highly significant title of this poem, written in January of 1928. The author – with no anxious need to publish today the masterpieces he wrote yesterday – waited more than five years before sending the poem to the Coimbra magazine *Presença*, where it came out in July of 1933, and we don't know when, in this long stretch of time, he had second thoughts and scribbled "The Tobacco Shop" next to the original title on the manuscript. Whatever the case, the poem's composition inaugurated a new, "defeatist" phase in Pessoa's work, conspicuous in various facets and voices.

In late 1928, Pessoa considered "Songs of Defeat" as a possible title for the third and final section of *Message*, a collection of forty-four poems (published in 1934) that focused on Portugal's sometimes glorious past, its difficult present, and its uncertain future. He finally decided to call the section "The Hidden One", reserving the title "Songs of Defeat" for a group of long poems that were likewise concerned with Portuguese history and culture. This was during a period when nationalism, actively fomented by the government, was exalting Portugal's great achievements and what was left of its overseas empire. Bucking the trend, Pessoa celebrated the nation's setbacks. Celebrated? Yes, since defeat on the material plane was a justification and almost necessary condition for the dawning of the Fifth Empire – a cultural rather than territorial empire – theorized and promoted by Pessoa.

Defeatism played an analogous role on the individual plane. Present from early on in Álvaro de Campos, this attitude or ideology became even more pronounced in his poetry after "The Tobacco Shop", and it is equally noticeable in *The Book of Disquiet*, which Pessoa took up again in 1929, after an eight-year hiatus. It is his insignificance as an assistant bookkeeper that catapults the book's fictional author, Bernardo Soares, into spheres of dreaming and imagination where he is superior to any earthly king. That is why he asserts, "with absolute sincerity", his desire "never to be promoted to head bookkeeper". It is also why this mere assistant ends one of the passages from his Book with the following sentence: "I carry my awareness of defeat like a banner of victory." Fernando Pessoa, a spiritual and linguistic alchemist, had the ability to convert defeat into success, feigned things into reality, nothing into everything.

In one of the most famous passages from "The Tobacco Shop", Álvaro de Campos makes fun of himself for daring to dream of being a genius. We might suspect that Pessoa was making fun of us, since this particular poem – even if he had written nothing else – would have assured his place among the geniuses of twentieth-century literature. Pessoa's greatest mark of genius, however, was his not needing to be recognized as one. Content to be a "self-convinced genius", he did not much care how the world rated him, and he was able to die in peace without having published most of his literary works.

In December of 1933, Pessoa-qua-Campos wrote the poem "Original Sin", which seems to be a gloss of "The Tobacco Shop", published five months earlier. It begins:

> *Who will write the story of what he could have been?*
> *That, if someone writes it,*
> *Will be the true history of humanity.*
>
> *What exists is the real world – not us, just the world.*
> *We are, in reality, what doesn't exist.*
>
> *I am who I failed to be.*
> *We are all who we supposed ourselves.*
> *Our reality is what we never attained.*

Our awareness of deficiency or of defeat (the "original sin") implies a complementary awareness of the perfection or triumph we desire and imagine as something possible. And that awareness, that desire and that imagination are the measure of humanity, our potential greatness, which is already greatness. According to this conception, realization is secondary or even superfluous.

Pessoa never completely agreed with himself, which was one of the reasons for his self-dispersion and diversification among the fictitious personalities he called heteronyms. Sometimes these masks were themselves masked. At the end of "The Tobacco Shop", the pseudo-shepherd called Alberto Caeiro – the only calm, untroubled heteronym, who declared that "To not think of anything is metaphysics enough" – makes an incognito appearance in the person of "unmetaphysical Esteves". This gentleman emerges from the Tobacco Shop, notices Campos looking out the window and waves hello, abruptly yanking him out of his reverie and causing the universe to go back to being just the universe, "without ideals or hopes". Only for an instant, however. Campos is not going to descend to the street to have a beer with Esteves. Or perhaps he will allow himself this brief pause, relaxing for a bit, before going back up to his garret that isn't a garret, to continue being the genius that he isn't (but is).

Fernando Pessoa is sometimes thought of as a "negative" poet, as one who did not love life directly and wholeheartedly. In fact he loved very much the miracle called life, but he loved humanity even more. That is why he abhorred the sort of humanitarianism that is quick to view man as a weak being in need of help. Pessoa admired, on the contrary, our human capacity (not shared by other forms of life) to be more than we are, at least in our dreams and ideas.

Or could it be that our consciousness and imagination and all that derives from them, such as art and poetry, philosophy and religion, are merely our species' way of defending and propagating itself, with more intelligence but according to the same instinctive impulse that rules a lizard? That is also possible, as Pessoa knew all too well. And so he invented, for his and our consolation, the uncomplicated Alberto Caeiro. The consolation, like the consoler, is fictitious. The mysterious ability of a human mind – namely Pessoa's – to engender all of this is astonishingly real.

Pedro Sousa Pereira nasceu em 1966, em Angola. É autor dos desenhos do livro *Mensagem*, de Fernando Pessoa, também com introdução e tradução de Richard Zenith, e das ilustrações dos poemas do *Livro de Cesário Verde*, e do *Só*, de António Nobre.

Em 2003, publicou, com Jorge Araújo, *Comandante Hussi*, vencedor do Grande Prémio Gulbenkian de Literatura e reeditado pelo Clube do Autor. É jornalista de profissão.

Pedro Sousa Pereira was born in 1966, in Angola. He did the drawings for an edition of Fernando Pessoa's *Mensagem* (*Message*), with an introduction and translation into English by Richard Zenith; he is also the author of the illustrations for the book of poems *Livro de Cesário Verde*, by Cesário Verde, and *Só*, by António Nobre.

In 2003, he published, with Jorge Araújo, *Comandante Hussi*, winner of the Gulbenkian Prize for Literature, reprinted by Clube do Autor. He is a professional journalist.

Richard Zenith, originário dos EUA, emigrou para Portugal em 1987.

Investigador, ensaísta e organizador de numerosas edições de Fernando Pessoa, é também conhecido como tradutor – de Camões, de Pessoa e de poetas mais recentes. Foi galardoado com o Prémio Pessoa 2012.

Richard Zenith, a native of the U.S.A, immigrated to Portugal in 1987. Researcher, essayist and editor of numerous works by Fernando Pessoa, he is also known as a translator – of Camões, Pessoa, and more recent poets. He was awarded the 2012 Pessoa Prize.

Este livro foi impresso pela gráfica Vozes
em março de 2015 para a editora Língua Geral.